GW00649999

Loi numéro 49956 du 16 juillet 1949 sur les publications
destinées à la jeunesse: septembre 1990
Dépôt légal: septembre 1990
Imprimé en France par Aubin Imprimeur à Poitiers

Claude Boujon

# LA BROUILLE

lutin poche de l'école des loisirs
11, rue de Sèvres, Paris 6e

Deux terriers étaient voisins.
Dans l'un habitait monsieur Brun, un lapin marron,
dans l'autre monsieur Grisou, un lapin gris.

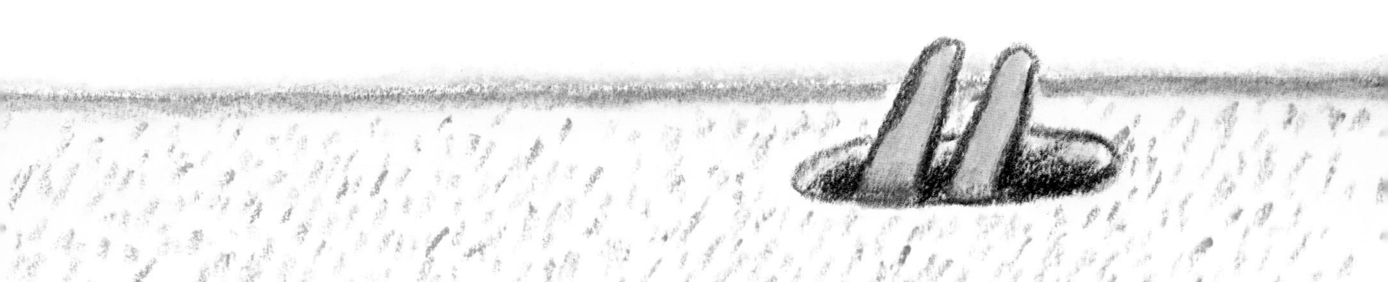

Au début de leur voisinage, ils s'entendaient très bien.
Le matin ils se saluaient gentiment :
« Bonjour, monsieur Brun », disait le lapin gris.
« Beau temps aujourd'hui, monsieur Grisou », répondait le lapin marron.

Un beau jour, ou plutôt un mauvais jour, leur bonne entente cessa. Monsieur Brun se fâcha:
«Quel cochon, ce Grisou, c'est encore moi qui vais balayer ses ordures. C'est une honte!»

Puis ce fut au tour de monsieur Grisou de se plaindre:
«Non, mais ça ne va pas la tête? Baisse cette radio,
je ne m'entends plus grignoter mes carottes.»

Chaque jour amenait de nouvelles disputes.
« Regarde-moi ce linge qui pend ! C'est une horreur.
Ote-le immédiatement, il me cache mon paysage. »

«D’accord, d’accord, monsieur Brun, mais attrape mon savon, tu pourras te laver avec. Tu sens mauvais.»

Monsieur Brun prit une grande décision:
«Ce mur me séparera à jamais de ce mauvais coucheur»,
jubilait-il. «Adieu, monsieur Grisou.»

Mais monsieur Grisou ne l'entendait pas ainsi.
Il entra dans une grande colère et réduisit le mur en poussière que le vent emporta.

Evidemment, il y eut une grande dispute.
«Bandit destructeur!» hurlait monsieur Brun.
«Voleur d'espace!» répliquait monsieur Grisou.

Une bataille éclata.
« Prends ça dans l’œil », disait l’un.
« Attrape celui-là », disait l’autre.
« Attention à mon gauche », menaçait Grisou.
« Méfie-toi de mon droit », ripostait Brun.

Sur ce, un renard affamé survint.
« Tiens, deux casse-croûte qui se battent », se dit-il.
« La chasse va être facile. »

Il bondit. Heureusement les deux lapins l'aperçurent.
Ils plongèrent dans le même terrier pour échapper à la dent du carnivore.

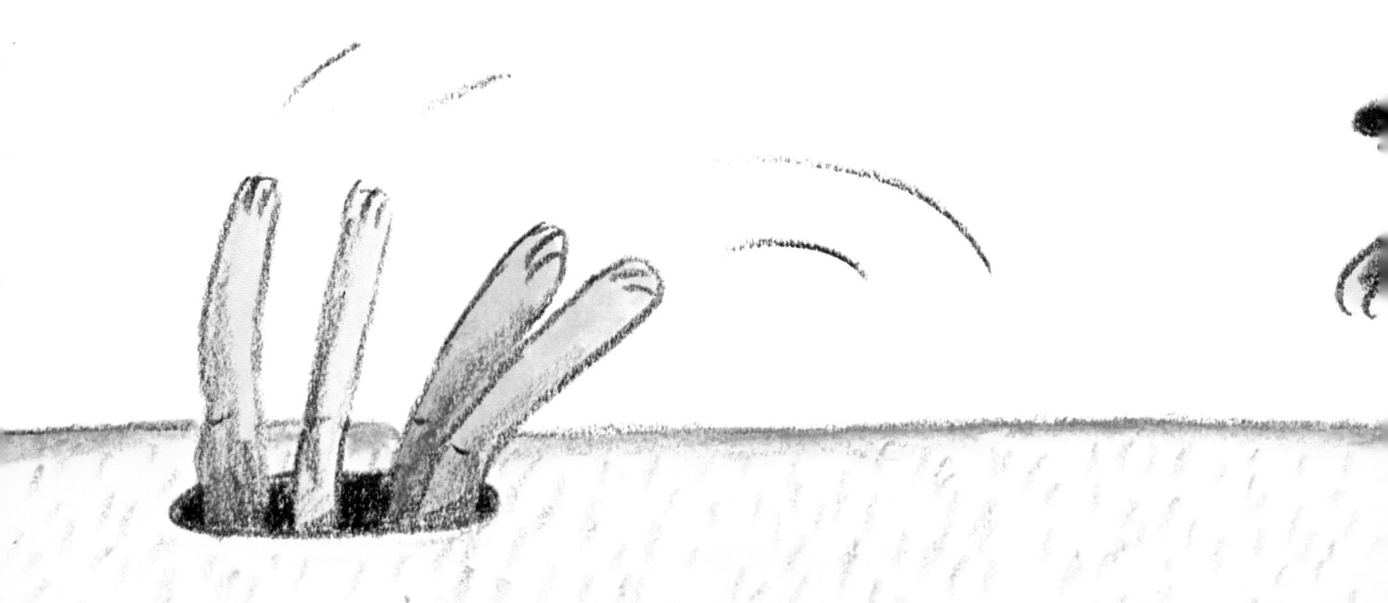

« Attendez, ce n'est pas fini », gronda le renard en plongeant sa patte dans le terrier. « Je vais bien en attraper un au hasard », ajouta-t-il. « Marron ou gris, les lapins ont le même goût. »

Mais tandis qu'il tâtait à l'aveuglette le fond du trou,
les deux lapins, unissant leurs forces, creusaient une galerie
vers le terrier voisin.

C’est au moment où le renard s’inquiétait de ne rien trouver, que les lapins bondirent hors du terrier qu’ils avaient atteint en peinant durement.

Et quand le renard ne ramena de son exploration
qu'une pauvre petite poignée de terre, ils étaient déjà loin.

Depuis ce jour, monsieur Brun et monsieur Grisou
sont de nouveau amis. Ils se disputent très rarement,
et uniquement quand c'est indispensable.
Ils ont conservé la galerie entre leurs deux terriers.
Comme ça, même quand il pleut, ils peuvent se rendre visite
et au besoin se chamailler sans se mouiller.